'DWI EISIAU MYND!

cyfaddasiad gan Iwan Llwyd
stori gan Robert Munsch
lluniau gan Michael Martchenko

HOUDMONT
Caerdydd

Cyhoeddwyd yn wreiddiol yng Nghanada gan: Annick Press
© 1987 Annick Press Ltd. Ⓗ
Hawlfraint y testun © 1987 Robert Munsch Ⓗ
Hawlfraint y darluniau © 1987 Michael Martchenko Ⓗ
Cyhoeddwyd yn wreiddiol dan y teitl *I Have To Go!*
Hawlfraint y testun Cymraeg © 1998 Iwan Llwyd Ⓗ
Cyhoeddwyd gan HOUDMONT, 14 Lôn-y-Dail, Rhiwbeina,
Caerdydd, CF4 6DZ.

Mae cofnod catalogio'r gyfrol ar gael gan y Llyfrgell
Brydeinig.

ISBN 0-9533206-1-8
Agraffwyd yng Nghymru gan S&G, Merthyr Tudful.

Un diwrnod roedd mam a thad Andrew yn mynd ag o i weld ei nain a'i daid. Cyn ei roi yn y car gofynnodd ei fam, "Andrew, wyt ti eisiau pi-pi?"

Dywedodd Andrew, "Na, **na, na, na, <u>na</u>**."

Dywedodd ei dad yn ara' deg ac yn glir iawn, "Andrew, wyt ti eisiau pi-pi?"

"Na, **na, na, na, <u>na</u>**." meddai Andrew, "'Dwi wedi penderfynu peidio byth â phi-pi eto."

Felly fe roeson nhw Andrew yn y car, cau ei wregys a rhoi lot fawr o lyfrau, a lot o deganau, a lot o bensiliau lliw iddo a gyrru i ffwrdd i lawr y ffordd – FYRRWMMMM.

Ond cyn eu bod nhw wedi gyrru am funud gron gyfan, bloeddiodd Andrew,

"MAE'N RHAID I MI BI-PI!"

"DRAPIA," meddai'r tad.

"O, NA," meddai'r fam.

Yna dywedodd y tad, "Rwan, Andrew, arhosa am 5 munud. Mewn 5 munud fe ddown at orsaf betrol lle y cei di bi-pi."

Meddai Andrew, "Mae'n rhaid i mi bi-pi RWAN HYN!"

Felly stopiodd y fam y car – **SGREEEECH.**

Neidiodd Andrew allan o'r car a phi-pi tu ôl i'r llwyn.

Ar ôl iddyn nhw gyrraedd tŷ nain a taid roedd Andrew am fynd allan i chwarae. Roedd hi'n bwrw eira ac roedd arno angen siwt eira. Cyn iddo wisgo y siwt eira dywedodd y fam a'r tad a nain a taid i gyd, "ANDREW! WYT TI EISIAU PI-PI?"

Dywedodd Andrew, "Na, **na, na, na, <u>na</u>**."

Felly fe wnaethon nhw wisgo Andrew yn ei siwt eira. Roedd yna 5 zip, 10 bwcwl ac 17 snap ar y siwt. Cymerodd hanner awr iddyn nhw wisgo Andrew yn y siwt eira.

Cerddodd Andrew allan i'r ardd gefn, taflu un belen eira a bloeddio,

"MAE'N RHAID I MI BI-PI!"

Rhedodd y tad a'r fam a nain a taid i gyd allan,
tynnu Andrew allan o'r siwt eira
a'i gario fo i'r tŷ bach.

Pan ddaeth Andrew yn ôl i lawr fe gawson nhw swper hir a da. Yna roedd hi'n bryd i Andrew fynd i'w wely.

Cyn iddyn nhw roi Andrew yn ei wely, dywedodd y fam a'r tad a nain a taid i gyd, "ANDREW, WYT TI EISIAU PI-PI?"

Dywedodd Andrew, "Na, **na, na, na, <u>na</u>.**"

Felly fe roddodd ei fam sws iddo, a rhoddodd ei dad sws iddo, a'i nain sws iddo, a'i daid sws iddo.

'"Rhoswch chi," meddai'r fam, "Mae'n mynd i floeddio a dweud bod yn rhaid iddo bi-pi."

"O," meddai'r tad, "mae o'n ei wneud o bob nos. Mae o'n fy ngyrru i'r wirion."

Dywedodd y nain,
"Gefais i rioed y problemau hyn gyda 'mhlant i."

Fe fuon nhw'n disgwyl 5 munud, 10 munud, 15 munud, 20 munud.

Dywedodd y tad, '"Dwi'n meddwl ei fod o'n cysgu."

Dywedodd y fam,
"Yndi, 'dwi'n meddwl ei fod o'n cysgu."

Dywedodd y nain, "Mae o'n bendant yn cysgu a wnaeth o ddim bloeddio a dweud bod yn rhaid iddo bi-pi."

Yna dywedodd Andrew,
'"Dwi 'di glychu'r gwely."

Felly fe fu'r fam a'r tad a'r nain a'r taid i gyd yn newid gwely Andrew a phajamas Andrew. Yna fe roddodd y fam sws iddo, a'r tad sws iddo, a'r nain sws iddo, a'r taid sws iddo, ac fe aeth y bobl mewn oed i gyd i lawr y grisiau.

Fe wnaethon nhw ddisgwyl 5 munud, 10 munud, 15 munud, 20 munud, ac o'r llofft bloeddiodd Andrew, "TAID, YDYCH CHI EISIAU MYND I BI-PI?"

Ac meddai taid, "Wel ydw, 'dwi'n meddwl fy mod i."

Dywedodd Andrew, "A finnau hefyd."

Felly fe aeth y ddau i'r tŷ bach i bi-pi, ac ni wnaeth Andrew wlychu ei wely eto y noson honno, ddim un waith.

Teitlau'r gyfres:

'Dwi Eisiau Mynd!
Siwt Eira Tomos
Moch

a mwy i ddod . . .